Cómo hacerse millonario, pensando.

©Toxic Crow

Autor: Toxic Crow

ISBN: 978-9945-9229-2-9

Corrección de estilo: Mary Pérez

Diseño de Portada: Jeannot Damián De Los Santos (JF Design)

Ilustración: Cindy Martínez

Diagramación: Easwara Jiménez

Impreso en PEMART GRÁFICOS IMPRESOS, SRL
pemartgraficosimpresos@gmail.com

Nuevas Tierras Ediciones, República Dominicana, Julio 2020

NUEVAS TIERRAS
EDICIONES

CÓMO HACERSE
MILLONARIO
PENSANDO

TOXIC CROW

CAONABO ENRIQUE MESA UREÑA

CÓMO HACERSE
MILLONARIO
PENSANDO

Dedicatoria

*Le agradezco a Dios, luego a mi familia,
mi madre, mi esposa, mis hijas, mis hermanos,
al equipo de trabajo,
a Haim López, Cromo x, Big trueno*

Y por supuesto a ti, que estás leyendo esto.

ÍNDICE

PREFACIO

Con el tiempo me he dado cuenta de que el primer paso para crecer económicamente es el ahorro. Es simple: para poder comprar ciertas cosas cuyo precio supera tu salario debes ir acumulando dinero. Luego ese dinero hay que ponerlo a trabajar. El segundo paso es invertir.

Ahorrar puede ser un término que conocemos bien. Todos, aunque sea en películas, hemos visto al cerdo rosado en forma de alcancía recibiendo monedas hasta no poder más. Sin embargo, la palabra inversión no es igual. Muchos la confunden con gastar.

Fácil y sencillo:

Gastar es cuando tu dinero no vuelve para atrás, y si lo hace es en menor proporción. Ejemplo: Si compras un carro, es muy difícil que te lo compren en lo mismo o más de lo que te costó.

Invertir, por otro lado, es comprar algo que vaya tomando valor, que genere dinero y pueda ser comercializado a mayor precio de lo que te costó.

Lo que haces con tu dinero, determina tu éxito. Me he dado cuenta de que el pobre es quien frecuenta los lugares de diversión. El dinero que dura 15 días para obtener, lo gasta en el fin de semana. Se le olvida que duró una quincena para conseguirlo y no reflexiona que lo gasta en dos días.

Es decir, gasta el 90% de su salario en cosas que no son productivas, cinco veces más rápido que lo que le costó tenerlo. Con el otro 10% quiere pagar sus deudas y facturas, pero no le alcanza, por eso, se endeuda más y más.

No hay mayor secreto para aumentar tu riqueza que la organización. Si duras 15 días para cobrar, debes durar por lo menos 30 días para gastarlo; así podrás ahorrar al menos el 30% de la segunda quincena. La economía es como ir al gimnasio, si vas todos los días a levantar el mismo peso, tu cuerpo se acostumbrará y no habrá diferencias. Sin embargo, si cada día pones más peso y se asume retos, tu cuerpo cambiará. Con la economía, si no cambias tu sistema de ahorro-gasto, tu calidad de vida no mejorará.

Debes tomar decisiones inteligentes e ignorar comentarios negativos. Siempre serás tacaño para quien no valora el dinero y no le gustará que ahorres para quien quiere que estés como él.

No utilices el método de capitalización de otro. Aprende a llevar técnicas parecidas implementándolas en lo que sabes hacer.

Así hay muchos jóvenes en la República Dominicana que quieren cantar música urbana, porque ven a mi generación progresar, que nos ha ido muy bien en el negocio. Pero no quieren pasar por la lucha que cogimos, ni atravesar los desafíos que existen en el género. No saben que, en el camino de la riqueza, no hay atajos.

Mientras más dures para hacerte rico, más durará tu riqueza.

Esto no es un manual, ni un secreto para hacerse rico. No existe, no hay estándar para eso. Solo una buena educación financiera, ir formando el rompecabezas de una buena economía.

Siempre se inicia desde abajo. Para llegar a un millón, debes obligatoriamente comenzar con un peso y si no lo cuidas, muy difícil llegarás a tu meta.

¿QUÉ ES RIQUEZA?

¿Qué me ha ayudado a **hacerme** rico?

Cada vez que quiero algo, que lo deseo con ansias, me esfuerzo por tenerlo. Para cuando lo logro, preparo mi mente para obtener diez veces lo que antes conseguí. Hay que aprender a jugar con ella, engañar tu propia mente. Me he dicho: Muy bien, ya tengo lo que esperaba, ahora quiero más. Eso facilita mucho las cosas.

No hay definición de riqueza. Nadie sabe cuándo llega ni tampoco cuándo se va. No sabes en qué momento pasas de pobre a rico o, al contrario. La riqueza se nota según cambia tu estatus, pero nunca se deja de soñar y de tener aspiraciones.

Cuando deseas un carro nuevo, un *Honda*, te esfuerzas y lo consigues. Estás excelente en tu carro, pero ya quieres un *Mercedes Benz*.

Fácil y sencillo:

Nunca desaparece el deseo de seguir creciendo.

Un truco que me ha funcionado en la vida es regalarme cosas. Cada diez activos que consiga o compre, me regalo un pasivo. Nunca al contrario.

Así como sus nombres lo dicen: activo quiere decir que se mantienen generando y pasivo que tarde o temprano pasa y deja de generar. Muchas personas se preguntan por qué construí edificios para rentar y no para vender.

Simple. Les contesto que la renta es un activo, porque el inmueble me genera dinero, toma valor cada día y conforme sube el precio de los materiales de construcción, así sube el valor del edificio.

Cuando construyes para vender es un pasivo, solo ganas el beneficio de la venta, se vuelve efectivo; este es el pasivo más grande del mundo. Tarde o temprano pasará a manos de otro. La forma más rápida de hacerte pobre: tener riqueza en efectivo.

Es mucho más fácil de descapitalizarte.

¿Por qué?

Te daré un ejemplo sencillo:

Tienes un millón de pesos guardado y quieres invertirlo en construcción. Vas conociendo del negocio e investigando. Haces la siguiente lista de compra:

Cemento cuesta $200 la funda.

Los bloques de hormigón $30 pesos cada uno.

Atado de varilla a $45,000 pesos.

Pasan 6 meses y aún tienes el millón guardado. Finalmente te decides hacerlo y comprar los materiales, cuando vas a la ferretería los artículos tienen nuevos precios. El cemento está a 220, los bloques a 33 pesos cada uno y el atado de varilla a 47 mil.

Tu dinero en solo seis meses se desvaluó; perdió valor. No podrás comprar la misma cantidad de materiales que seis meses atrás. Ahora bien, si ese millón lo hubieses invertido... esos materiales hubiesen tomado valor. Por lo que, en seis meses, tu dinero se habría multiplicado un 2%

Fácil y sencillo:

 Guardar dinero no es una buena opción.

En el mundo hay muchos tipos de personas: los que sueñan día a día, los que se burlan de los sueños de otros, los que se matan para lograr al menos un 1% de lo que tienen los millonarios y los que queman hasta el dinero. Mi moraleja es la siguiente: esfuérzate y lucha duro para adquirir todo lo que deseas y luego, multiplícalo por mil.

La vida es solo una, no esperes a que te den. Nadie te hará rico, pues todos lo desean. Deja de perder el tiempo persiguiendo otras cosas, que la juventud se va y las fuerzas para batallar no serán las mismas.

Las críticas no merecen tu tiempo, ni las vanidades y falsos amores. Te voy a decir algo, cuando termines de leer esta parte, quiero que apuntes tus malos hábitos (empezando por esos pasivos que no te aportan) reconócelos para que lo dejes de hacer. Ahora piensa en las cosas que te pueden aportar valor, analízalas y ponte a trabajar. ¡No hay tiempo que perder!

Solo los soñadores pueden entender que lo que tienen hoy, un día fue un sueño. Nunca se ha dicho nada de un cobarde porque la historia siempre es de los guerreros.

De mi parte, siempre soñé con ser artista y que la gente me siga. Al final me di cuenta de que me siguen más por mis consejos y mi manera de ver las cosas que por mis canciones. Si lo hubiese sabido antes, mi fama fuera tres veces mayor a la que tengo. Pero las cosas se hacen por etapas, cada una pertenece a un algoritmo de la vida. Dios nos da las cosas despacio, pero nos da todo.

Muchos dirán: ¿Para qué tener si todo se queda?

Yo solo suspiro y le respondo que eso lo sabemos. Pero en lo que llega la muerte, hay que vivir y aprovechar la vida. No puedes pensar en morirte.

Si al final todo se queda: ¿Por qué te esfuerzas en estudiar?, ¿en comer?, ¿en tener hijos?

¡Cambia esa mentalidad! Deja eso para los fracasados. Es mejor partir al más allá sabiendo que tus seres queridos no pasarán precariedad.

Fácil y sencillo:

 No todo se puede comprar con dinero.

Puedes comprar mujeres, pero no amor. Una casa, pero no un hogar. Un carro, pero no el conducir. Puedes comprar ropa de ejercicio, pero no el éxito de ese deporte. Un avión, pero no el conocimiento para ser piloto.

Porque todo eso implica esfuerzo.

NEGOCIOS ENGAÑOSOS

Un método que me ha funcionado en la vida es calcular mi vida en porcentaje. Dedicarle un 10% al pasado, un 40% al presente y un 50% al futuro.

Muchas personas se enfocan en decir las cosas y los éxitos que han tenido en el pasado y se mantienen en un círculo vicioso. No crecen como personas. Se quedan en los duros que eran antes, en lo que tenían y en su riqueza pasada. Todo es en base del ayer. No se preocupan por el presente y así se pasan la vida sin darse cuenta de que están estancados en el mismo lugar: en recuerdos.

En cambio, yo, le dedico un 10% al pasado. Esas vivencias determinan un 40% de tu actualidad para prepararte para un mejor futuro y el mañana tiene mayor tiempo. Un 50% porque es lo que viene y siempre hay que estar preparado para lo que se espera. Saber que tu futuro algún día será tu presente y que el pasado ya no volverá.

La riqueza puede convertir a las personas en arrogantes y prepotentes; hacer que te olvides de dónde vienes. Lo más importante para mantener tu situación económica es siempre pensar de dónde vienes para nunca volver ahí. Ese es el uso del 10% del pasado.

Lo peor de la riqueza es que los arrogantes siempre creen que tienen la razón e ignoran los consejos. Las personas suelen escuchar lo que les conviene.

Vas a comprar un Todoterreno y de camino, alguien te oferta un solar y les dices que no tienes dinero. No es que no tengas dinero, es que tu mente no está en un solar, sino en el carro. Ni siquiera escucha lo que ofrecen, no es tu enfoque.

Quizás es el punto que menos te gustará de este libro, ya que pocos entenderán y me darán la razón.

Normalmente las personas le dan más importancia a buscar un trabajo solo pensando que pueden pagar su seguro de salud. Duran hasta 15 años trabajando porque con ese trabajo pueden pagar el seguro, que le descuentan automáticamente del salario.

Explicaré el porqué difiero con relación a los seguros médicos. La clave es ahorrar, siempre. Cuando tengas algún problema de salud, con el ahorro podrás resolverlo. Recuerda que las personas no se andan enfermando todo el tiempo, pero sí pagando un seguro mes por mes... no le veo la rentabilidad. De otro modo, si cada cobro, guardas en el banco lo mismo que pagas de seguro, en un año verás que puedes pagar cualquier problema de salud que tengas sin tener a alguien que te obligue a pagar ese dinero mensual.

En los seguros de los carros por más caro que sea, uso el seguro de ley, ya que el protocolo lo exige por si tienes algún choque.

Imaginemos que uno de mis vehículos tiene un seguro a todo riesgo, paga 200 mil pesos al año... unos 16,666 pesos mensual. Sin embargo, si guardara ese dinero en el banco durante un año donde no he chocado, ahorraría al año 200,000 mil pesos. Sería ganancia para ti y sirve para seguir reuniendo dinero, por si algún día chocas. Inclusive, si al año siguiente no tienes ningún siniestro tendrías 400 mil pesos y serviría de inicial para otro vehículo.

Ahora bien, debes cuidarte muy bien y tener la máxima precaución para no tener accidentes. La vida se basa en la atracción.

Fácil y sencillo:

 Si te enfocas en que vas a chocar, chocarás.

Si te enfocas en que te puedes enfermar, acabarás enfermando.

Otro punto son los planes funerarios, no puedes pagar tu propia muerte por adelantado y enfocarte más en ella que en la vida. Mejor que tu familia cubra los gastos con el dinero que dejes.

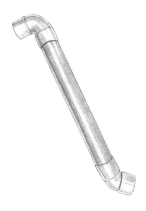

Cuando voy a comprar los materiales de construcción y me ofrecen un producto con una garantía de más de 100 años a un precio elevado, me inclino por comprar uno más económico y menos años de garantía. No viviré tanto para ver la calidad del producto y si en 100 años se daña, que tus hijos lo reparen.

Fácil y sencillo:

 Nunca compres cosas caras por la gran durabilidad si no la vas a necesitar.

Un consejo: No dejes que un fulano te lleve a su terreno planteándote algún negocio que tengan en mente. Recuerda que, si es tan bueno, ¿por qué no lo hacen solos y ganan más? Quizás estés pensando en que pueden no tener el capital para hacerlo y necesitarían de un socio para comenzar.

Pero, así como esperé para tener el capital para mis negocios y dar el primer paso, ellos también podrán. Recuerda que nunca te harás rico con la idea de otro, con algo que no sepas hacer ni tengas idea de la materia.

Considero que una persona es experta cuando hace dinero con lo que sabe hacer. Si no generas con tu conocimiento es porque nunca fuiste inteligente; si no haces dinero con lo que sabes hacer, imagínate con lo que no.

La suerte es un mito porque hay personas que se agarran de ella para no triunfar.

EL MATRIMONIO

Una persona se hace rica cuando ya no tiene a nadie cobrándole deudas y estresándose. La educación financiera es siempre pagar las facturas, que se debiten automáticamente de tu cuenta de banco. No puedes ser esclavo de ellas.

Si te toca pagar el teléfono, internet o cable los días 30, no dejes que alguien te meta presión cobrándote, ni generando mora; eso le hace daño a tu corazón y a tu salud, pues te mortificas. En este capítulo, abundaré sobre el matrimonio y cómo también es parte de la riqueza. Cuando eres casado, todo te rinde más. ¿Por qué?

Es que, cuando eres casado, comes menos en restaurantes, vas menos al colmado, compras menos ropa lujosas, sales menos a lugares de diversión porque le dedicas más tiempo a tu pareja. Ahorras más y tienes deseos de superarte cada día. Cumples tus sueños para que tu familia salga adelante.

En cambio, cuando estás soltero, solo piensas en gastar y gastar. No te quieres perder un bonche, conocer mujeres nuevas. Eso lleva a gastar, sacas más dinero del banco porque debes explotarle los ojos a los demás para llamar la atención. Cuando conocí a mi esposa, siempre quise adentrarla en la música y que me siguiera los pasos; le enseñé mis estrategias, hábitos y desarrollo en el negocio que le han funcionado bastante bien. Hasta en cierto modo, me ha superado, y eso ha aumentado nuestra riqueza. Ya son dos ingresos que entran a nuestro hogar. Es lo que muchos hombres hoy en día no entienden, cuando enseñas a tu pareja a hacer dinero y ser autodidacta estás retroalimentando tu patrimonio, el futuro de tus hijos y calidad de vida.

Un complemento del matrimonio es el patrimonio. No podemos ser egoístas en el amor. Soy de los que dicen que la vida es como un rompecabezas y que Dios te entrega las piezas cuando naces, y al crecer, debes encargarte de unirlas formando tu propio destino hasta triunfar. Me he dado cuenta, que Dios hizo un lado femenino y masculino en todo. Por ejemplo, el matrimonio es el lado femenino de una relación y el patrimonio es el masculino. En el primero, se destaca el dar amor a la pareja, comprenderse, tener hijos, educarlos y dar una buena formación social. Es entonces que el segundo se trata de ahorrar, mejorar la calidad de vida, el progreso económicamente.

Ambos deben aprender a trazarse metas para que crezcan más y más.

Las personas no saben la importancia que tiene el matrimonio en la vida. Es algo que ni siquiera yo sabía, hasta que me casé. El matrimonio es que da estabilidad y mentalidad de crecimiento y salir adelante y es porque te preocupa más la economía del hogar, ahorro y progreso que en malgastar el dinero.

Para el año 2006, antes de conocer a quién hoy es mi esposa Indhira Luna, mi vida era diferente, mis prioridades estaban en estar bonito en la calle, ir a todas las fiestas, gastar dinero con mujeres diferentes... no me preocupaba mejorar mi calidad de vida y comprar cosas que realmente tienen valor; me interesaba vivir el día a día, sin pensar en que en un mañana tendría hijos que necesitarían una economía para subsistir.

Cuando me casé, en el 2008, comencé a ver el mundo de otra manera. Aprendí a compartir mi vida con mi señora, a ahorrar e invertir en cosas importantes pensando a largo plazo. También a enseñarle a mi esposa las cosas que sabía. De esa manera empezó a acompañarme en todas las actividades en República Dominicana.

Ella tomó la decisión de que nos fuéramos a vivir a España para un mejor porvenir sometiendo nuestro matrimonio al país para poder vivir en territorio europeo. Recuerdo que le entregué los documentos de mi preparación académica y demás; mi meta, desde el principio, era trabajar duro para un mejor futuro. Así que mientras optábamos por la residencia, esperaba la visa de trabajo en los Estados Unidos junto con unos colegas del género urbano.

Sin embargo, algo me dijo que tomara la decisión de irme con mi esposa y así lo hice.

Estaba en el mejor momento de mi carrera, aproveché que estaba solo en el continente y me sirvió de mucho esa decisión. Hice más de 120 fiestas en ese mismo año y comencé a ver dinero de verdad. Agradecí mi fortuna y ahorré para comenzar mis primeras inversiones conquistando toda Europa: actué en España, Suiza, Holanda, Italia, Alemania, Bélgica y Austria.

Me fui superando para cuando tuviera una cantidad prudente poder invertir en bienes raíces y triplicar mis ahorros. Entre tanto, pude lograr firmar un contrato muy importante con la famosa compañía americana *Youtube*, haciéndome agregador de contenidos y obteniendo una licencia *Premiun MCN (Multi-Channel Network)* como discográfica y así convertirme en la primera persona en implementar la monetización de los canales de *Youtube* en la República Dominicana y muchos países de Latinoamérica.

Trabajaría así, con el 90% de los cantantes urbanos haciendo un acuerdo de licenciar sus canales. Ellos podrían generar dinero con sus audiovisuales y ventas de discos en las tiendas digitales y yo recibiría un por ciento.

Con mi carrera artística, duraba seis meses en Europa y los demás en República Dominicana de gira en ambos lugares y amasando una fortuna. Porque recuerda, el primer paso es ahorrar y luego invertir, así lo hice y así lo seguiré haciendo durante vida tenga.

En el año 2010, decidimos viajar a los Estados Unidos y comenzar una gira allá, pues tenía un gran grupo de fans esperando por años y nos fue muy bien. Hicimos muchísimas presentaciones en las mejores discotecas en ambiente latino. Además, decidimos fabricar *Merchandise* (*t-shirts* personalizados) con nuestros nombres artísticos, Toxic Crow y La Insuperable. Los fanáticos iban a las fiestas a comprarlos y de esa manera generamos más dinero en nuestra gira.

Para el 2011, me contrataron a una fiesta en Italia. El promotor, por accidente, puso una foto de mi esposa en la portada de la fiesta, para motivar a las mujeres a que asistieran. Vi que los fanáticos se tiraban fotos con ella, entendí que tenía gran potencial de ser cantante también. Le hice la propuesta.

Antes había participado en un remix de "Contigo quiero estar", lo hizo muy bien, pero decía que no le gustaba como sonaba su voz.

Ese mismo año se motivó y compuso su primera

canción: "Cero gogas". Cuando la grabó en el estudio del productor musical *Kilo Beats* en Madrid, quedó muy bien. Realicé el vídeo clip de la canción con la productora *Complot Films* grabado y editado por mí.

Cuando lo estrenamos fue todo un éxito. Ahí, decidimos que ella pertenezca a mi sello discográfico: *Complot Records*; el comienzo de La Insuperable como artista. Hasta la fecha solo ha sido éxitos tras éxitos, posicionándose en unas de las mejores cantantes del género urbano e internacionalizándose de una manera increíble. Eso le ha dado fuerza a nuestro patrimonio, ya que hemos andado más de 25 países juntos como artistas.

De igual modo, una manera excelente de capitalizar es usando nuestras redes sociales para vender comerciales y estrategias de negocios con *sponsors* y sacarle el máximo provecho, vendiendo paquetes de anuncios exclusivos como no exclusivos según la conveniencia.

Siempre juntos como un matrimonio. Si tienes pareja, anímate a observar el potencial de lo que pueden lograr, unir el matrimonio con el patrimonio. Si no tienes, asegúrate de quién sea tu pareja pueda ser alguien con que puedas construirlo.

EL LEGADO

Muchas personas me preguntan por qué construyo edificios solo para alquiler.

Los edificios, para mí, son la mejor manera de ahorrar. Mis principales fuentes de ingresos son la música y la construcción, son como un banco, un activo que genera ingresos mensuales como si pusiera el dinero en un certificado financiero. Sin embargo, la diferencia radica que los apartamentos producen mucho más dinero que los bancos, pues no posee una tasa baja. La ventaja que tiene construir para alquiler es también que los inmuebles van tomando plusvalía (aumento de valor del inmueble) cada año conforme va subiendo los precios de los materiales de construcción.

Es una manera de obtener dinero fijo hasta que mueras, que tus hijos y nietos se beneficiarán de lo que construiste. En cambio, si haces apartamentos para vender, el dinero es instantáneo. Es cierto, recuperarás tu inversión rápido, pero solo ganas una sola vez porque vendiste la gallina de los huevos de oro.

Otra ventaja es que, al tomar un préstamo en el banco, puedes utilizar tus edificios como garantía para tener crédito. Además, con los edificios de alquiler, puedes crear otra compañía de mantenimiento, encargada de mantener el orden de cada edificio y que mantengan todos los servicios activos.

Es bastante bueno el negocio, y aún más, cuando tú mismo construyes los edificios. Te economizas el comprar apartamentos hechos y generas empleos dentro de tu compañía.

Mi madre, por ejemplo, tiene una pequeña empresa dentro de la mía. Es la persona que se encarga de venderle la comida y aperitivos a mis trabajadores en la construcción y es su principal fuente de ingresos junto con mi padrastro.

Siempre he querido que mis hijas continúen el legado de nosotros, así sería mucho más fácil salir hacia adelante y multiplicar el patrimonio familiar. Enseñarles todo lo que sabemos y que se desarrollen en las mismas áreas.

Utilizo un método muy bueno con mis hijas y es motivándolas a que estudien ingeniería, arquitectura y contabilidad. De esa forma, el negocio familiar y el legado permanecerá vigente para siempre.

A menudo me pongo a contar mucho dinero delante de ellas. La mayor siempre me pregunta: —Papi, papi, y todo ese dinero, ¿de qué es?

Yo le respondo: —Mi hija, eso salió de la ingeniería.

—Cuando yo sea grande, quiero ser ingeniera.

Al otro día, con la misma práctica, la del medio me pregunta lo mismo y le respondo que de la arquitectura. Y así mismo con la pequeña con la contabilidad. Muchos me acusan de que no dejo que ellas elijan sus carreras. Pero cómo dejar que mis hijas se pongan a intentar triunfar en una carrera que desconozcan, cuando pudieran seguir un legado y seguir el negocio familiar.

Cuando muera o envejezca serán dueña de nuestras empresas, y es por eso es qué ellas deben centrarse en ello.

O, por otro lado, cantantes. Les sería fácil, cabalgar los caminos que recorrimos.

LOS HÁBITOS

Tengo más de quince años levantándome a las seis de la mañana. Un hábito que me ha funcionado mucho, porque en lo personal, madrugar es demasiado importante. Las ideas más grandes de mi vida han llegado a esa hora y me da la ventaja de poder vivir más.

Si se abre una oportunidad, por ejemplo, la aprovecha el que se levanta primero. Si pasas por una calle donde están regalando algo y te levantas al mediodía, ya por esa calle han pasado miles de personas que se levantaron primero que tú y aprovecharon esa oportunidad.

Por eso el refrán: *"Al que madruga, Dios le ayuda"*. Es por lo que todos los ricos se levantan temprano y se acuestan tarde.

Lo más importante del mundo es el tiempo. Hoy en día se llama dinero al tiempo, y es que, cuanto más dinero tienes más tiempo también. ¿No me crees?

Tu salario es calculado en tiempo (horas hombre), te pagan por TU tiempo. Ya cuando eres rico, te conviertes en dueño de él. Ya no tienes que cumplir un horario de 8 a 5 y todavía así, ganas dinero.

Debes aprender a despertarte temprano todos los días porque así tienes más tiempo, donde aprovecharás para hacer más cosas. Bien entendí el refrán. Claro, Dios ayuda a quién se levanta más temprano que todos y sale a la calle a trabajar.

Aprende cómo se comportan los ricos y adóptalo. Si algún día quieres ser rico, actúa como ellos. Come, visita los lugares que ellos, habla como ellos. Debes leer mucho para que tu mente vaya adquiriendo conocimientos y mejorando tu forma de actuar y ser una persona de bien. Sacando la envidia de tu corazón, la ira, codicia y mal vivir.

Hay que ser grato; agradecido con todo el que te da y te ayuda, principalmente tus padres, familiares y amigos.

Fácil y sencillo:

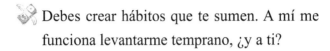 Debes crear hábitos que te sumen. A mí me funciona levantarme temprano, ¿y a ti?

Siempre necesitarás ayuda por más dinero que tengas, debes tener una mano derecha en todo.

Para hablarte de los hábitos, quiero contarte sobre mis inicios. Mi disciplina de hacer dinero comenzó por el año 2000, cuando terminé el bachillerato, un amigo me dijo que se iba a trabajar a una zona franca para poder pagar su universidad. Le dije que me uniría porque necesitaba pagar mi educación y no tenía trabajo.

Nos dirigimos a una compañía que se llamaba *Power One*, nos habían dicho que era la mejor del parque donde estaban todas. Habíamos estudiado electrónica en el bachillerato y nos parecía una buena opción. Pagaban mejor que los demás. Nos dijeron que el sueldo mínimo era 516 pesos semanal. Es decir, cada viernes. Pero primero debíamos tomar una semana de entrenamiento sin paga.

Me tocó trabajar e inicié como operario. Conocí a muchas personas trabajando como probador, sentados en una computadora. Les pregunté cuanto cobraban y me dijeron que 576 pesos a la semana. Eran 60 pesos más que un operario y trabajaban menos.

Al día siguiente, fui a recursos humanos para que me dieran un entrenamiento para ser probador. Mi amigo no quiso, alegó que el aumento era muy poco. 60 pesos más, le comenté que no solo era el dinero, la posición era lo que valía. En tan solo 15 días, ya estaba cobrando más que mi amigo, porque esos 60 pesos más a la semana eran 240 pesos más al mes que ayudaban con la comida o el transporte.

Llegó un momento en que me cansé de la posición y le pregunté a un analista que cuanto cobraba por esa posición: —850 pesos a la semana —respondió.

—Wow *man*, pero ganas muchísimo. —recuerdo que le dije.

Me comentó que tenía varios cursos de electrónica aprobados. Me aconsejó que hiciera un curso de electrónica básico y digital y así mismo hice. Cuando conseguí los diplomas, fui a recursos humanos y los presenté. Pero no había vacantes. Les pedí que me pusieran en espera y así fue, cuando hubo una vacante me enviaron al departamento de entrenamiento y aprobé.

Ya que mi salario era mucho mejor, llegó el momento del ahorro, me dije. Me inscribí en la cooperativa de la zona franca ahorrando la cantidad de 334 pesos semanal y solo cobrando 516 pesos que fue el salario con el que inicié. Hice como un año en esa posición.

Comencé a trabajar dos horas extras diarias, porque pagaban las horas al 100% de tu salario. Mi salario calculado por hora sería 18.88 pesos, que serían 170 pesos diarios, trabajaba de lunes a viernes. Los sábados y domingos eran horas extras. Me dije que, en esa empresa, podría conseguir mucho dinero si me esforzaba.

Tenía una rutina, que eran dos horas extras de lunes de viernes desde las ocho de la mañana hasta las siete de la noche. Los sábados y los domingos trabajaba nueve horas extras. Por lo que devengaba un salario semanal de 1,717 pesos semanal. Mensual unos 6,868. Para el 2001, para mí era mucho dinero. Comencé a ahorrar en la cooperativa mil pesos a la semana, llevándome de salario el restante. ¡Resolvía todos mis problemas y facturas igual!, con una diferencia de un ahorro de cuatro mil pesos mensual en la cooperativa. Luego de un año y algo de ahorro, acumulé más de 50 mil pesos.

Tomé otro entrenamiento para que me trasladaran a un departamento "más sofisticado" y así tener más posibilidades de crecer en esa empresa. Así mismo fue, estuve en el departamento de SMT, aumentando un 10% mi salario. O sea, 935 pesos semanal, sin contar las horas extras. Luego de un año, apliqué para especialista en tecnología de montaje superficial.

Comencé cobrando 2, 064 pesos mensual y en dos años mi salario era de 23, 936 pesos más. Eso me enseñó que querer es poder siempre y cuando no se pierda el enfoque. Ya no tenía que ponchar para poder cobrar y mi salario era de 26 mil pesos al mes.

Dirás que es poco dinero, pero recuerda que para el 2002 era más que suficiente. Junto con un amigo, decido crear un grupo musical llamado *Power Flow* en esa empresa, para realizarle canciones a la compañía y presentárselo a la directora de recursos humanos. Le gustó bastante la propuesta y nos hizo un aumento del 15% a nuestro salario. Ya cobraba 29,000 pesos mensual. Comencé a ahorrar cinco mil semanales. Duré 7 años trabajando en esa compañía ahorrando más de 900,000 pesos en ese período.

Ahí decido comprar equipos de grabación profesionales para nosotros y crear *Complot Records*, darle un toque más profesional a nuestra carrera y así triunfar en la música.

Todo lo que hice: las ganas de seguir creciendo a pesar de mi amigo, estudiar, trabajar horas extras, me permitieron iniciar con mi carrera.

INVERSIONES

Cuando renuncié, comencé a dedicarme a la música mientras seguía estudiando ingeniería civil. Siempre soñé con construir edificios. Me di cuenta de que el negocio inmobiliario es para toda la vida.

En ese entonces, vivía alquilado. Le pagaba la renta a mi madre con mucho esfuerzo los días 30 y ya el día 1, debía nuevamente. Comprendí que era un negocio redondo. Las personas tienen la necesidad de un hogar y como no siempre se puede comprar una casa, acuden a la renta. Según el Banco Interamericano de Desarrollo, República Dominicana es el segundo país de América Latina con la mayor tasa de alquiler de viviendas familiares. Por eso me enfoqué en ese mercado, siempre habría rentabilidad.

Cuando decidí comprar un solar para iniciar mi primera obra, mi esposa me regaló el plato de su casa en Villa Mella para que construyera un segundo nivel y así economizar lo que me costaría un solar. Le inyecté mucho dinero y logré hacer dos apartamentos; uno de dos habitaciones y otro de 3… y los renté.

Pagando una mensualidad de unos 15 mil pesos, tomé un préstamo para comprar otro apartamento en Tropical del Este. Lo alquilé en 12 mil pesos y solo tenía que poner la diferencia de mi bolsillo, y el apartamento se pagaba solo.

—Estamos creciendo —me dije. Teníamos tres apartamentos, una casa y seguíamos trabajando duro.

En lo que pagaba mis deudas, compré otro apartamento en los Corales del Sur, uno de los mejores lugares para vivir en Santo Domingo Este o Zona Oriental, antes soñaba con vivir ahí y ahora lo hago. Hablé con el ingeniero Peña, que era el propietario de esa obra, para que me diera alguna facilidad para sacar el apartamento. Le pagué el inicial y otro banco me dio un préstamo para completar el dinero y así lo hice.

Ahí comenzó a mejorar nuestra calidad de vida, con el apartamento que elegimos para vivir. Fuimos ahorrando, terminar de pagar nuestras deudas y, además, rentando el apartamento de al lado, lo convertimos en las instalaciones de *Complot Records* como oficina: 3 estudios de grabación y un estudio audiovisual para la edición de los videos.

Hice una inversión de un millón de pesos en equipos y haciendo la acústica de los estudios comencé a promover las instalaciones. Logré que muchos artistas famosos grabaran en mis estudios como Lápiz Conciente, Joa El Super Mc, Packer Lutherking y más.

Conociendo el negocio, lo de rentarlo no era algo que me motivaba mucho, le hice una propuesta de comprar el apartamento al dueño y me lo vendió en más de tres millones. Le hemos sacado el provecho suficiente, pues ahí hemos grabado todos nuestros éxitos.

Había que pensar en futuro, aún más. Compré unos solares que estaban vendiendo en San Isidro, el terreno prometía desarrollarse y yo estaba preparándome para cuando lo hiciera.

Sin embargo, no todo es color de rosa, o verde

en este caso. En un momento, compré unos cuantos autobuses para ponerlo a trabajar en una ruta, pero no me fue muy bien. Trabajar con ese tipo de personas no es tan bueno, maltratan demasiado los vehículos y son diarias las inversiones en piezas que se dañan. Al final recapacité a tiempo y terminé vendiéndolos a buen precio.

Quizás no perdí mucho dinero, pero sí tiempo en esa inversión; que es igual de valioso.

Otra de mis inversiones fue una compañía de préstamos hipotecarios, el patrimonio crecía, lo que permitía invertir más… Tanto así que seguí comprando solares y construyendo. Por ejemplo, en Los Trinitarios II, hice 13 apartamentos de alquiler y la casa de mi madre. Llamado ahora: Residencial Crow. Así empezó la gama de los residenciales con mi seudónimo. Cuando anuncié la renta, en menos de dos meses todos estaban ocupados.

Mi enfoque ha sido hacer la mejor edificación de los sectores donde construyo y eso no me falla. Al transcurrir un año, compré el solar de al lado y comencé a construir la segunda parte del residencial e hice 16 apartamentos más para completar un bloque de 31 apartamentos. Siempre está lleno, por lo que es un éxito para mí.

Es entonces que llegó el momento de invertir en familia donde mi esposa y yo compramos el solar que ahora es el Insucrow, nuestro edificio familiar donde está la comunidad que nos merecemos.

Los sueños ya cumplidos suelen causar gracia, seguía edificando y luego eran el Crow 3 y el Crow 4.

Decido introducir a mi esposa en el negocio de bienes raíces y que sea también inversionista en la constructora Crow. Compramos un solar en Tropical del Este y decidimos realizar el edificio Insucrow 2, compartiéndolo mitad y mitad en gastos y ganancias para rentarlos amueblados en el negocio de *rentals,* es decir, diferentes páginas como *Airbnb, booking*, *homeawy, ect.* Ahora  somos más fuertes invirtiendo juntos.

Leyendo todo lo anterior, es importante compartir con ustedes que nosotros los raperos dominicanos tuvimos una visión única de crecimiento económico, que es admirable. Desde los barrios más marginales pudimos sacar nuestra familia y vivir hoy en día todos en grandes mansiones y palacios en lugares más desarrollados.

Nos costó bastante esfuerzo y dedicación.

Fácil y sencillo:

 Existimos los cantantes urbanos que nos enfocamos en los ahorros y las inversiones en activos, aunque haya muchos que se enfoquen en los pasivos y grandes lujos. Para ser millonario, no solo está el deseo, hay que tener propósito.

COLABORACIONES

Antes mencioné que no importa cuán rico seas, siempre necesitarás a las personas. Asimismo, los cantantes urbanos necesitamos hacer colaboraciones, nos ayuda a expandir nuestro público. Cuando uno se junta con otro exponente, los dos públicos también se unen y la canción cumple su objetivo siendo escuchada por más personas.

En contexto, *Complot Récords* inició con jóvenes, que la mayoría estudiamos en la escuela Fabio A. Mota, que comenzamos a intercambiar ideas. A

luchar por nuestros sueños y aspiraciones.

Siempre hemos compartido tarima y estudio de grabación. Fue la mejor época de nuestras vidas, el algoritmo que nos enseñó todo y nos impulsó a la realidad de la vida. Aprender de lo bueno y lo malo. Los sectores a donde pertenecíamos eran muy peligrosos y uno se podía echar a perder con facilidad. Agradezco que supimos distinguir y segregarnos de la delincuencia. La policía, en esa época, nos juzgaba de delincuentes por la apariencia de ser rapero y estaban erróneos en ese entonces y quizás ahora.

Mi hermano Dany Punto Rojo y yo hacíamos actividades para impulsar nuestras carreras, generar liquidez y reinvertirlo. Queríamos triunfar y hacer dinero. Fue cuando se nos ocurre la idea de hacer tarimas en diferentes canchas de nuestras zonas aledañas y cerrarlas para comenzar olas de conciertos cobrando las entradas. Todo un éxito para nosotros porque llenábamos siempre, nos encargábamos de hacer la publicidad y la promoción saliendo a regar los *flyers* de las actividades, que todo el mundo se enterara.

Fuimos remodelando y fortaleciendo nuestro *home* estudio de grabación que tanto le agradecemos ya que ahí fue que se grabaron nuestros primeros éxitos y así le cambiamos el curso a nuestras carreras.

Decidimos hacer las cosas un poco más profesionales y llevamos el concepto a las discotecas estrenando nuestros vídeos oficiales en conjunto de un *show* en vivo y hacer que el público se motivara.

Contratamos a colegas de diferentes sectores para así ir acaparando público y llenar nuestras actividades; fue la primera forma de ingresos que tuvimos de la música.

Gracias a Dios hoy en día la música se ha convertido en uno de los negocios e industria que deja más dinero. Tiene muchísimas vertientes con la que puedes generar dinero durante toda la vida.

Claro, siempre y cuando lleves tu carrera organizada con todos los registros al pie de la letra.

Mucha gente dice: —¡Wao! ¿Cómo es que esos jóvenes amasan tanta fortuna en tan poco tiempo?

Desde que una canción hace contacto con el mundo comienza a generar dinero. Puede ser con las ventas de discos en más de 30 diferentes tiendas digitales como *downloading* y *streaming*. Una es descargando las canciones y otra es escuchándolas con una suscripción de diferentes plataformas que pagan para que los fans puedan escuchar las canciones simultáneamente. Cada sonada paga en centavos de dólares. Ahora bien, solo imagínate como van aumentando los ingresos, cuando los fanáticos hacen *playlist* y se pasan el día entero reproduciendo esas canciones.

Por otro lado, las contrataciones en vivo. La típica manera que todos conocemos de facturar y cuando el artista está en su mejor momento o "pegado" cobra una buena cantidad según su nivel como artista.

Luego tenemos la forma de cobrar dinero por la publicidad que es una forma fácil y eficaz de generar liquidez y es cuando algún *sponsor* quiere que le promuevas un producto usando tu imagen para que el consumidor se identifique con su producto y conseguir vender más. Ese negocio es por espacio o exclusividad y es muy costoso.

Por otra parte, tenemos la entrada de ganar dinero en la difusión radial y otros medios que reproducen nuestras canciones. Hay diferentes compañías que se encargan en colectar por las sonada de nuestras canciones que son como *BMI, ASCAP, SGACEDOM, SGAE,* etc., que pagan trimestralmente según en la que estés afiliado.

También colectamos dinero con los *merchandising,* que es vendiendo mercancías usando nuestros logos, nombres, seudónimos y demás. Ahora mismo en lo textil se está facturando mucho ya que mandas a hacer *T-shirts* y gorras usando tu nombre o logotipo y los fanáticos lo compran con facilidad.

Por no hablar de la gran cantidad de dinero que puedes generar con *YouTube*, una de las compañías de música que da mayor remuneración por las reproducciones de los vídeos.

Nosotros los artistas, si nos organizamos bien y hacemos todo con buena planificación, nos hacemos ricos con facilidad. También está el dinero de las giras internacionales y esas diferentes entradas, te sirven para ir invirtiendo por otro lado e incursionando en otras facetas como en mi caso.

Cuando me trazo una meta la cumplo con honor y principio. Como dice Maquiavelo: el fin justifica los medios y eso me ha ayudado bastante en mi crecimiento.

Hay muchos colegas del género que han facturado mucho más que yo, pero no tienen lo que tengo porque no supieron aprovechar su momento e INVERTIR.

He tratado de explicárselo una y otra vez y siempre me ignoran. Dicen tener otras prioridades y otro punto de ver la vida. Si es la música lo que te interesa, pregúntate que es lo que realmente quieres: ¿Una buena vida?, ¿dinero rápido?, o, ¿simplemente fama?

Es cierto que no fui el artista que más ganó dinero en la República Dominicana pero sí fui el que mejor lo invirtió. Lo que me ganaba lo usé en negocios que multiplicarían mi riqueza todos los días.

Fácil y sencillo:

 Al final de la jornada todos queremos y soñamos con estar bien en un mañana, pero si no te esfuerzas en el hoy… tu mañana no será bueno.

ENFERMEDADES

Me he dado cuenta de que las mayorías de las enfermedades son creadas. Me refiero a que, en la actualidad, las personas solo piensan en el dinero sin medir las consecuencias. Hay laboratorios que diariamente crean virus con precios en las curas. Ya todo se basa en el efectivo.

No hay mejor ejemplo que China y el coronavirus. Se nota su mala propaganda en contra del país para conveniencia de otros países. Entiendo que buscan restringir su desarrollo; es que China ha crecido como una epidemia, afectando muchos negocios, pues sus mercancías resultan más económicas que las de otros. La mano de obra es barata y la función del producto es la misma. Su pensamiento radica en la abundancia y no en rentabilidad. Por ende, con tal auge que el país despierta, algún método debieron inventar sus competidores para frenar el progreso que tiene este país asiático.

Mientras trabajaba en *Power One,* ellos cerraron sus puertas y decidieron irse a China. Decían que con lo que le pagaban a un operario de República Dominicana, eran seis empleados chinos. Que en ese entonces un operario cobraba 516 pesos semanal.

Con respecto a lo que el capítulo se refiere, mi consejo es: no puedes enfocarte ni pensar en las enfermedades, porque siempre te vas a enfermar.

En lo particular, tengo algunos 15 años sin acudir a un doctor. Siempre he dicho que soy mi propio médico, pues nadie conoce mi cuerpo mejor que yo. Tu cuerpo habla. Cuando hay algún problema, él mismo te lo dice. Lo que pasa es que me acostumbré a sanar mi cuerpo con la mente. Desde pequeño, he ido desarrollando el poder mental. Este no falla.

Aprendí no padecer de dolores de cabeza. Me concentro en el dolor y lo voy reduciendo mentalmente, dándome masajes en las sienes poco a poco hasta desaparecer. ¿Para qué ir a la farmacia y comprar una pastilla?, la mayoría de las dolencias se deben al estrés físico y mental. Cada vez que tu cuerpo sienta un anticuerpo tómate tres vasos de agua y masajea tu propio cuerpo concentrándote en sanar; sentirás la magia. Es más, diría que las enfermedades son un 80% mentales y 20% reales.

Te pondré un ejemplo algo drástico. Imagínate que estás sano, excelentemente bien, nunca te has sentido mejor en tu vida, y acudes al médico a un chequeo de rutina porque… ya toca. Resulta que el doctor dice que estás infectado con el virus del VIH. Tu propia mente acabará con tu cuerpo y morirás.

Si eres de los que van al médico estando bien de salud, probablemente el doctor te encontrará algo. Recuerda que es su profesión, vive de eso. Si estás "saludable", no eres un cliente.

No me malinterpretes, no digo que dejes de chequearte. Más bien, quiero que aprendas de tu cuerpo. Ya que del mismo modo sabes que debes de ir al baño porque lo necesitas, aprende a hacer las cosas por necesidad.

Quizás estés pensando en que la salud no tiene precio y tienes razón. No lo tiene cuando estás enfermo y deseas sanar. Pero si no lo estás, no hay porqué gastar en salud si ya la tienes. La mejor manera de economizar los ingresos es esa, priorizando.

Cuando vas al médico (innecesariamente) debes calcular la consulta, los análisis que te mandarán a realizar, los medicamentos que te recetarán... no olvides la conexión entre los doctores y los farmacéuticos que hasta te envían a farmacias específicas.

Lo más importante para mantener tu salud es evitando los excesos. Ahí es que comienzan los problemas. Tomemos de ejemplo a la alimentación: no te lavas las manos antes de comer, comes en la calle y con muchísima grasa. Tomas jugos que venden en las aceras (quién sabe si con agua de la llave y/o reciclada) y cítricos.

Todo eso es veneno para el estómago y es un exceso.

Tengo mucho tiempo sin visitar a un doctor, pero te aseguro que no me expongo constantemente a las enfermedades.

Fácil y sencillo:

 Dedícate a conocer tu cuerpo. A priorizar los gastos. Desarrollar el poder mental.

LOS EXCESOS

Tal y como dice el refrán: *"Todo en exceso, hace daño"*. En el capítulo anterior, hablábamos de la salud y esto va de la mano. Por ejemplo, la comida. No está bien ser glotón. Por más buena que esté la comida, no hay que excederse. Eso es angurria.

Hay otro dicho que dice que uno es lo que come. Si comes porquería, es probable que lo seas. Si comes saludable, serás eso, una persona saludable.

De una forma u otra, el precio ayuda a distinguir la calidad de las cosas. En el mismo ejemplo de alimentación, entre un restaurante y un vendedor ambulante, la comida del restaurante es más cara porque tiene mejor cuidado y, por ende, hace menos daño.

Muchas personas me consideran tacaño; palabra con la que me describían. Lo curioso es que de "tacaño" pasé a ser millonario. Luego entendieron que economizar, no es ser miserable, sino progreso.

Te explicaré el porqué más adelante. Siguiendo con la comida, la carne de cerdo contiene mucha grasa, y cuando la comes en grandes cantidades, tu cuerpo se agita y provoca irritación…debes comprar medicamentos o ir al médico. Es decir, gastos.

Fácil y sencillo:

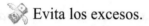 Evita los excesos.

No es que no comas cerdo sino reducir su consumo o bien, comerlo con menos grasa. La experiencia me ha enseñado que, si ya fui una vez a una consulta por algún síntoma, ya sé lo que debo hacer en una próxima, que ojalá no pase.

Hay personas que son bien incrédulos porque no

creen en ellos mismos y solo creen en los médicos. Yo aprendo de los diagnósticos. Porque sé que cuando te da gripe, vas a la farmacia y compra antigripales sin ir a chequearte o cuando te sale una espinilla en la cara, vas a la farmacia y compra crema para tratarlo. Entonces así debe manejarse, como lo hizo con la gripe y la espinilla.

Aprenda a tomar mucha agua y se dará cuenta que es el mejor medicamento que ha existido. Porque el agua es que se encarga de poner el cuerpo a fluir y a activar el sistema de drenaje. Sentirá menos dolor de cabeza, menos estrés, estreñimiento, acidez, cansancio, etc.

Con el agua todos los órganos vitales se mantienen activos, por eso el refrán dice: el agua es vida.

Otra cosa de los excesos, no compres demasiados medicamentos ya que tienen fecha de vencimiento y usted no es farmacia para almacenar productos que no usará todo el tiempo. Que se le venzan a ellos, no a usted. ¿Para qué comprar 20 tabletas de antigripales si usted solo usará 2?

Lo típico: para prevenir. La mente guarda eso, atrae a la enfermedad. Aprenda a jugar con la ley de la atracción, póngala en práctica una y otra vez y se dará cuenta que existe. ¡Piense en lo bueno y lo bueno tendrá!, si hay sanación para qué pensar en enfermedades, si hay dinero para qué pensar en miseria, si hay comida para qué pensar en hambre, si hay vida para qué pensar en la muerte.

Cante, ría, goce, baile, hable (sin quejarse), abrace, ame, regale, ayude, madrugue. De eso se trata la vida, ser alegre y saludable junto a tus seres queridos.

Fácil y sencillo:

 ¡Sea feliz!

FÁCIL Y SENCILLO

No me gusta darles a las personas pescado, prefiero enseñarle a pescar. De lo contrario dejarán que siempre pesque para ellos comer. Mi objetivo es enseñar todo lo que aprendo para así hacer crecer mi imperio y subir de nivel cada día. Hay que delegar funciones para que no seas esclavo de tu propia mente.

Capítulos atrás me refería a que "economizar no es ser miserable sino progreso", es que, para mí, la pobreza y riqueza tienen que ver mucho con la disciplina. La vida se basa en algoritmos y cada movimiento que haces hoy se reflejará mañana. Aprende a priorizar sin importar las palabras que te digan, porque tienes una meta. Ayer era tacaño por saber qué era lo que necesitaba en el momento y lo que quería en futuro, y hoy, millonario por esas decisiones.

Caemos de nuevo en la ley de la atracción y así concluyo el libro, enseñándote 15 consejos para volverse rico:

1- Pon a Dios primero en todo lo que hagas.

2- Siempre tienes que ver el lado positivo de las cosas.

3- Aprende a escuchar y nunca creerse más sabio que los demás.

4- Los sueños se realizan trabajando y sin mirar atrás.

5- Ten un modelo a seguir para que te sirva de inspiración.

6- Nunca puedes gastar más de lo que ganas.

7- Siempre debes calcular un margen de pérdida en todo lo que hagas para que nunca te coja de sorpresa.

8- La salud va primero que todo para que puedas disfrutar de tu riqueza y que merezca la pena.

9- Debes saber la diferencia entre gastar e invertir.

10 - Nunca inviertas en un negocio que no conoces por muy bien que le vaya a otra persona.

11- Debes de saber que el dinero es el peor pasivo que existe y no te puedes aferrar a él.

12- Después de trabajar mucho para tener dinero, pon al dinero a trabajar para ti.

13- Primero las inversiones (Activos) y luego los lujos (Pasivos)

14 - Cuida el dinero pequeño porque de los grandes se encarga el banco. Las grandes cantidades de dinero empezaron por ser pequeñas, si no lo cuidas no creces.

15- Debes aprender a controlar tus instintos y la arrogancia ya que, así como tú tienes, otros también.

NUEVAS TIERRAS

EDICIONES

CPSIA information can be obtained
at www.ICGtesting.com
Printed in the USA
BVHW031524141222
654250BV00009B/280